Inglés sin Barreras

El Video-Maestro de Inglés Conversacional

3 Números, Horas y Citas

Manual

Para información sobre
Inglés sin Barreras
en oferta especial de
Referido Preferido
1-800-305-6472
Dé el Código 03429

Dedicatoria

Dedicamos este curso a todos los hispanos que tomaron la iniciativa de traer el idioma inglés a sus vidas para expandir sus horizontes. Los sueños pueden convertirse en realidad. Con gran respeto y afecto,

Sus amigos de Inglés sin Barreras

Metodología	Center for Applied Linguistics
Texto	Karen Peratt, Cristina Ribeiro
	Center for Applied Linguistics
	International Media Access Inc.
Ilustraciones	Gabriela Cabrera
Diseño gráfico	Gabriela Cabrera, José Luis Quilez,
	Leena Hannonen/MACnetic Design,
	David Kaestle, Inc., Martin Petersson
Guión adaptado - inglés	Karen Peratt
Guión adaptado - español	Cristina Ribeiro
Edición	Horacio Gosparini, Yuri Murúa,
	Damián Quevedo, Mike Ramirez
Aprendamos viajando	Marcos Said, Pablo Moreno, Alfredo León
Música	Erich Bulling
Diseño gráfico – video	Marcos Said
Fotografía	Alejandro Toro, Alfredo León
Producción en línea	Miguel Rueda, Pablo Moreno
Dirección - video	Loretta G. Seyer, Patricio Stark
Coordinación de proyecto	Cristina Ribeiro
Dirección de proyecto	Karen Peratt
Directora ejecutiva	Valeria Rico
Productor ejecutivo y director creativo	José Luis Nazar

Números, Horas y Citas

Índice

1 Notas

Lección **1**

1 Notas

Le recomendamos que lea las palabras de vocabulario antes de ver el video correspondiente a esta lección. Éstas son las palabras más importantes de esta lección.

3   20

number	*número*
zero	*cero*
one	*uno*
two	*dos*
three	*tres*
four	*cuatro*
five	*cinco*
six	*seis*
seven	*siete*
eight	*ocho*
nine	*nueve*
ten	*diez*
eleven	*once*
twelve	*doce*
thirteen	*trece*
fourteen	*catorce*
fifteen	*quince*
sixteen	*dieciséis*
seventeen	*diecisiete*
eighteen	*dieciocho*
nineteen	*diecinueve*
twenty	*veinte*
thirty	*treinta*
forty	*cuarenta*
fifty	*cincuenta*
sixty	*sesenta*

What time is it?	*¿Qué hora es?*
time	*hora*
AM	*a. m., de la mañana*
PM	*p. m., de la tarde, de la noche*
hour	*hora*
minute	*minuto*
o'clock	*en punto*
noon	*mediodía*
midnight	*medianoche*
watch	*reloj de pulsera*
clock	*reloj de pared*

Más vocabulario

boyfriend	*novio*
girlfriend	*novia*
color	*color*
easy	*fácil*
new	*nuevo(a)*
Excuse me.	*Discúlpeme. Perdone.*

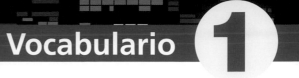

Vocabulario 1

E l e m e n t o s   e s e n c i a l e s

Esta sección destaca los elementos básicos de esta lección. Lea detenidamente lo que incluimos en ella.

11:59 AM	12:00 PM	12:01 PM
	noon *mediodía*	
11:59 PM	12:00 AM	12:01 AM
	midnight *medianoche*	

Chiquilladas del idioma para compartir con su familia:

How can you tell the price of a pelican?
Look at the bill.

¿Cómo se averigua el precio de un pelícano?
Mírele el pico.

bill = pico, pero también significa cuenta

Aprenda y practique

Le recomendamos que aprenda las expresiones y oraciones incluidas en esta sección.

What color is his hair?	*¿De qué color es su pelo?*
What color are his eyes?	*¿De qué color son sus ojos?*
How old is he?	*¿Qué edad tiene (él)?*
He's 27 years old.	*Él tiene veintisiete años.*

1 one	*uno*	16 sixteen	*dieciséis*
2 two	*dos*	17 seventeen	*diecisiete*
3 three	*tres*	18 eighteen	*dieciocho*
4 four	*cuatro*	19 nineteen	*diecinueve*
5 five	*cinco*	20 twenty	*veinte*
6 six	*seis*	21 twenty-one	*veintiuno*
7 seven	*siete*	22 twenty-two	*veintidós*
8 eight	*ocho*	23 twenty-three	*veintitrés*
9 nine	*nueve*	24 twenty-four	*veinticuatro*
10 ten	*diez*	25 twenty-five	*veinticinco*
11 eleven	*once*	26 twenty-six	*veintiséis*
12 twelve	*doce*	27 twenty-seven	*veintisiete*
13 thirteen	*trece*	28 twenty-eight	*veintiocho*
14 fourteen	*catorce*	29 twenty-nine	*veintinueve*
15 fifteen	*quince*	30 thirty	*treinta*
30 thirty	*treinta*	50 fifty	*cincuenta*
40 forty	*cuarenta*	60 sixty	*sesenta*

Apuntes

Cómo decir la hora

En los Estados Unidos, se usa una escala de doce horas para decir la hora. **AM** empieza exactamente a medianoche. **PM** empieza exactamente a mediodía.

Si usamos **AM**, nos referimos normalmente a las horas de la mañana. Si usamos **PM**, hacemos referencia a las horas de la tarde y de la noche. En inglés, se puede pedir la hora de varias maneras.

Have you got the time?	*¿Tiene usted hora?*
Do you have the time?	*¿Tiene usted hora?*

La respuesta a estas preguntas debe comenzar con "sí" o "no", como en los ejemplos siguientes.

Yes, it's 8 o'clock.	*Sí, son las ocho en punto.*
No, I'm sorry.	*No, lo siento.*

Se pueden añadir ciertas expresiones a la pregunta básica **What time is it?**, si se desea ser más cortés.

Excuse me, what time is it?	*Discúlpeme, ¿qué hora es?*
Pardon me, what time is it?	*Perdone, ¿qué hora es?*
It's 5:15.	*Son las cinco y cuarto.*

Las expresiones **excuse me** y **pardon me** le permitirán interrumpir cortésmente a una persona. Puede usarlas antes de hacer cualquier pregunta.

Se usa la expresión **o'clock** para indicar la hora en punto.

It's three o'clock.	*Son las tres en punto.*
It's ten o'clock.	*Son las diez en punto.*
It's 3:00.	*Son las tres.*
It's 10:00.	*Son las diez.*

Recuerde: deberá usar la palabra **noon** (mediodía) para indicar las 12:00 p.m. y la palabra **midnight** (medianoche) si se refiere a las 12:00 a.m.

Cuando quiera decir la hora y no se refiera a la hora en punto, debe decir primero el número correspondiente a la hora y luego el número correspondiente a los minutos.

It's seven ten.   *Son las siete y diez.*
It's 7:10.

It's four twelve.   *Son las cuatro y doce.*
It's 4:12.

It's two forty-five.   *Son las tres menos cuarto.*
It's 2:45.

En ciertos casos, se puede indicar la hora diciendo los minutos que faltan para la hora siguiente.

It's 8:55.   *Son las nueve menos cinco.*

It's five to nine.   *Son cinco para las nueve.*

It's 4:40.   *Son las cinco menos veinte.*

It's twenty to five. *Son veinte para las cinco.*

It's five to nine significa que faltan cinco minutos para las nueve en punto.

Cuando esté paseando por un centro comercial, fíjese en los relojes y practique diciendo la hora.

1 Diálogo

Éste es el texto completo del diálogo incluido en el video. Usted hará el papel del espectador (viewer). Si le hacen una pregunta personal, conteste usando información personal. Tenga en cuenta que las respuestas del espectador que le proporcionamos no son las únicas respuestas correctas.

LLamando de Hawai.

Robert	Hello.
	Hola.
Dan	Hello. Is Ann there?
	Hola. ¿Está Ann?
Robert	No. Who's calling?
	No. ¿De parte de quién?
Dan	Kathy's father, Dan Martin.
	Del padre de Kathy, Dan Martin.
Robert	Oh, hello, Mr. Martin. This is Robert.
	Oh, hola, Sr. Martin. Soy Robert.
Dan	Hi, Robert. I'm calling from Hawaii.
	Hola, Robert. Llamo de Hawai.
Robert	From where?
	¿De dónde?
<u>Viewer</u>	<u>From Hawaii.</u>
	De Hawai.

12

Robert	Oh, you're calling from Hawaii.
	Oh, usted está llamando de Hawai.
Dan	What time is it there?
	¿Qué hora es ahí?
Robert	What time is it?
	¿Qué hora es?
<u>Viewer</u>	<u>It's 12 PM.</u>
	Son las doce de la tarde.
Robert	It's 12 PM. Noon.
	Son las doce de la tarde. Mediodía.
Dan	Can you take a message for your mom?
	¿Puedes dejarle un mensaje a tu mamá?
Robert	Sure.
	Claro.

2 Notas

Lección 2

2 Notas

Le recomendamos que lea las palabras de vocabulario antes de ver el video correspondiente a esta lección. Éstas son las palabras más importantes de esta lección.

(to) work	*trabajar*
(to) eat	*comer*
(to) go home	*ir(se) a casa*
(to) get up	*levantarse*
(to) study	*estudiar*
(to) talk	*hablar*
at	*a*
usually	*normalmente*
every	*cada, todos(as)*
in the morning	*por la mañana*
in the afternoon	*por la tarde*
in the evening	*por la noche*
at night	*por la noche*
at noon	*a mediodía*
at midnight	*a medianoche*
a quarter to	*menos cuarto, un cuarto para*
a quarter after	*y cuarto*
half past	*y media*

Más vocabulario

seventy	*setenta*
eighty	*ochenta*
ninety	*noventa*
one hundred	*cien*
one thousand	*mil*
I'm sorry.	*Lo siento.*
I'm late.	*Llego tarde.*

Elementos esenciales

Esta sección destaca los elementos básicos de esta lección.
Lea detenidamente lo que incluimos en ella.

at 1:11 PM	*a la una y once de la tarde*
3:03 = three oh three	*tres y tres*

in the morning	*por la mañana*

in the afternoon	*por la tarde*

in the evening   *por la noche*

at night   *por la noche*

a quarter to   = *menos cuarto, quince minutos antes de la hora en punto*
a quarter after = *y cuarto, quince minutos después de la hora en punto*
half past   = *y media, treinta minutos después de la hora en punto*

11:15   =   eleven fifteen or a quarter past eleven
                once quince u once y cuarto

11:45   =   eleven forty-five or a quarter to twelve
                once cuarenta y cinco o doce menos cuarto

10:30   =   ten thirty or half past ten
                diez treinta o diez y media

② Vocabulario

Aprenda y practique

Le recomendamos que aprenda las expresiones y oraciones incluidas en esta sección.

70	seventy	*setenta*
80	eighty	*ochenta*
90	ninety	*noventa*
100	one hundred	*cien*
200	two hundred	*doscientos*
300	three hundred	*trescientos*
400	four hundred	*cuatrocientos*
500	five hundred	*quinientos*
600	six hundred	*seiscientos*
700	seven hundred	*setecientos*
800	eight hundred	*ochocientos*
900	nine hundred	*novecientos*
1000	one thousand	*mil*

Para compartir con los niños...

Why does it get hot after a basketball game?
Because all the fans have gone.

¿Por qué hace tanto calor después de un juego de baloncesto?
Porque los ventiladores se han ido.

fans = ventiladores, pero también significa admiradores.

I work.
Yo trabajo.

I go home.
Yo me voy a casa.

You work.
Tú trabajas.
Usted trabaja.

You go home.
Tú te vas a casa.
Usted se va a casa.

He works.
Él trabaja.

He goes home.
Él se va a casa.

She works.
Ella trabaja.

She goes home.
Ella se va a casa.

We work.
Nosotros trabajamos.

We go home.
Nosotros nos vamos a casa.

You work.
Ustedes trabajan.

You go home.
Ustedes se van a casa.

They work.
Ellos trabajan.

They go home.
Ellos se van a casa.

Do I work in the morning?
  Yes, you do. / No, you don't.
	¿Trabajo por la mañana?
	  Sí. / No.

Do you go home in the afternoon?
  Yes, I do. / No, I don't.
	¿Te vas a casa por la tarde?
	  Sí. / No.

Does he play at night?
  Yes, he does. / No, he doesn't.
	¿Juega él por la noche?
	  Sí. / No.

Does she eat at 8:00 AM?
  Yes, she does. / No, she doesn't.
	¿Come ella a las ocho de la mañana?
	  Sí. / No.

Do you study at midnight?
  Yes, we do. / No, we don't.
	¿Estudian ustedes a medianoche?
	  Sí. / No.

Do we talk in the evening?
  Yes, you do. / No, you don't.
	¿Hablamos por la noche?
	  Sí. / No.

Do they get up at seven o'clock?
  Yes, they do. / No, they don't.
	¿Se levantan ellos a las siete en punto?
	  Sí. / No.

Apuntes

La hora y los minutos

Cuando no se esté hablando de horas en punto, se dicen los minutos que faltan para la hora en punto o los minutos que pasan de la hora en punto.

It's four fifty-five. *Son las cuatro cincuenta y cinco.*
It's five to five. *Son cinco para las cinco.*

También se usan expresiones tales como **quarter** (y cuarto o menos cuarto) y **half past** (y media) para decir la hora.

6:30	It's half past six.	*Son las seis y media.*
5:45	It's a quarter to six.	*Son las seis menos cuarto.*
9:15	It's a quarter past nine.	*Son las nueve y cuarto.*

Half sólo se usa con **past.**
La palabra **quarter** se usa con **after** (y cuarto) and con **to** (menos cuarto).

···

Adivinanzas

Why was the freeway sticky?
Because of a traffic jam.

¿Por qué estaba pegajosa la autopista?
Porque había mermelada de tráfico.

jam = mermelada, pero también significa atasco

2 Clase

Hablando de actividades diarias

Hay varias maneras de hablar de las actividades diarias, de las cosas que se hacen todos los días. En las oraciones que describen actividades diarias, use la forma simple del verbo **to be.**

I work, you work, he works, she works, we work, you work, they work.
Yo trabajo, tú trabajas o usted trabaja, él trabaja, ella trabaja, nosotros trabajamos, ustedes trabajan, ellos trabajan.

Las palabras **usually** y **every** se usan para describir actividades diarias. Fíjese en la colocación de estas palabras.

I get up at 7:00 AM every day.
Yo me levanto a las siete de la mañana todos los días.

He eats at 7:30 AM every morning.
Él come a las siete y media cada mañana.

I usually get up at 7:00 AM.
Normalmente, me levanto a las siete de la mañana.

He usually eats at 7:30 AM.
Normalmente, él come a las siete y media de la mañana.

Usually se coloca antes del verbo. **Every** se coloca después del verbo.

También se pueden usar las expresiones siguientes para hablar de actividades diarias.

In the morning: periodo de tiempo que comienza al amanecer y termina a mediodía.

In the afternoon: periodo de tiempo que comienza a mediodía y termina más o menos a las cinco de la tarde.

In the evening: periodo de tiempo que comienza aproximadamente a las cinco de la tarde y termina con la puesta de sol.

At night: comienza una hora después de la puesta de sol y termina al amanecer.

Las horas de inicio y finalización de cada periodo de tiempo son aproximadas y varían de región en región. Escuche a las personas que tiene a su alrededor y sabrá cuándo usar estas expresiones.

Para referirse a una hora específica, use la palabra **at**.

At 9:00 AM.	*A las nueve de la mañana.*
At noon.	*A mediodía.*
At midnight.	*A medianoche.*

Para referirse a un periodo de tiempo más largo o más general, use la palabra **in**.

I usually study in the morning.	*Normalmente, estudio por la mañana.*
I go home in the evening.	*Me voy a casa por la noche.*

Pedir disculpas

Decir **I'm sorry** (lo siento) es la manera más sencilla de pedir disculpas. Esta oración puede usarse para disculparse por cualquier razón: por llegar tarde, por tropezarse con alguien, romper algo u ofender a alguien.

Para contestar a una disculpa, use una de estas expresiones:

It's all right.	*Está bien.*
It's OK.	*Está bien.*
Don't worry.	*No te preocupes.*

Chiquilladas del idioma para compartir con su familia

When is a king not a king?
When he's a ruler.

¿Cuándo deja un rey de ser rey?
Cuando es una regla.

ruler = regla, pero también significa soberano

Notas 2

Éste es el texto completo del diálogo incluido en el video. Usted hará el papel del espectador (viewer). Si le hacen una pregunta personal, conteste usando información personal. Tenga en cuenta que las respuestas del espectador que le proporcionamos no son las únicas respuestas correctas.

¿Qué hora es?

Amy	Excuse me. What time is it? *Discúlpeme. ¿Qué hora es?*
<u>Viewer</u>	<u>It's 2:00.</u> *Son las dos.*
Amy	Hmmm… My watch is not right. Thanks. *Mmm… Mi reloj no funciona. Gracias.*
Tom	Hi, Amy. *Hola, Amy.*
Amy	Hi, Tom. *Hola, Tom.*
Tom	How's it going? *¿Qué tal?*
Amy	My watch is wrong. *Mi reloj anda mal.*

Tom	Your watch is wrong? *¿Tu reloj anda mal?*
Amy	Yes, it is. *Sí.*
Tom	What time is it? *¿Qué hora es?*
Amy	It's 2:00. *Son las dos.*
Tom	My watch is wrong, too. It says 2:20. *Tampoco funciona mi reloj. Marca las dos y veinte.*
Amy	What time does it say? *¿Qué hora marca su reloj?*
<u>Viewer</u>	<u>It says 2:20.</u> *Marca las dos y veinte.*
Tom	Thanks! *¡Gracias!*
Amy	Sure. *No hay de qué.*

P Notas

Pronunciation

Le recomendamos que lea las palabras de vocabulario antes de ver el video correspondiente a esta lección. Éstas son las palabras más importantes de esta lección.

first	*primero*
second	*segundo*
last	*último*
Can you repeat that?	*¿Puede repetir eso?*
Please speak slower.	*Hable más despacio, por favor.*
Please speak louder.	*Hable más alto, por favor.*
(to) meet	*ver a, reunirse con, encontrarse con*

Apuntes

En ciertas situaciones, dar u obtener la información correcta depende en gran parte de los números. Por lo tanto, la pronunciación correcta de los números es muy importante. De lo contrario, se pueden crear malentendidos al fijar la hora para una cita o al pedir una dirección.

Practique la pronunciación de números importantes tales como:

- *su número de teléfono*
- *su dirección*
- *el número de su licencia de manejar*
- *el número de su documento de identidad*

Si no entiende lo que le dice una persona, debe pedirle que repita lo que ha dicho o que hable más despacio. También es importante que entienda a los demás cuando le pidan una aclaración. Estas oraciones se usan a menudo para pedir una aclaración:

Can you repeat that?   Please, speak slower.
¿Puede repetir eso?   *Hable más despacio, por favor.*

Sin embargo, puede que estas oraciones no le ayuden a aclarar sus dudas. Existe otra alternativa. Preste atención al diálogo siguiente.

- Meet me at 3:15.
  Reúnete conmigo a las tres quince.
- Excuse me. Did you say 3:15 or 3:50?
  Perdona, ¿has dicho las tres quince o las tres cincuenta?
- I said 3:15.
  He dicho las tres quince.

3 Notas

Lección 3

3 Notas

Le recomendamos que lea las palabras de vocabulario antes de ver el video correspondiente a esta lección. Éstas son las palabras más importantes de esta lección.

(to) have time	*tener tiempo*
(to) go to bed	*irse a la cama, acostarse*
breakfast	*desayuno*
lunch	*comida, almuerzo*
dinner	*cena*
When?	*¿Cuándo?*
What time?	*¿A qué hora?*
busy	*ocupado(a)*
nosy	*curioso(a)*
early	*temprano*

Más vocabulario

What number?	*¿Qué número?*
picture	*fotografía, dibujo*
TV	*televisor*
action verbs	*verbos de acción*
cooking	*cocinando*
dreaming	*soñando*
drinking	*bebiendo*
eating	*comiendo*
going	*yendo*
joking	*bromeando*
kissing	*besando*
listening	*escuchando*
playing	*jugando*
reading	*leyendo*
running	*corriendo*
shopping	*yendo de compras*
sitting	*sentándose*
sleeping	*durmiendo*
studying	*estudiando*
talking	*hablando*
thinking	*pensando*
walking	*caminando, andando*
watching television	*viendo la televisión*
working	*trabajando*
writing	*escribiendo*

Elementos esenciales

Esta sección destaca los elementos básicos de esta lección.
Lea detenidamente lo que incluimos en ella.

What time?   When?
¿A qué hora?   *¿Cuándo?*

What are you doing?
¿Qué estás haciendo?
¿Qué está usted haciendo?

3 Vocabulario

Aprenda y practique

Le recomendamos que aprenda las expresiones y oraciones incluidas en esta sección.

What are you doing?
¿Qué estás haciendo?

I am cooking.
Yo estoy cocinando.

What am I doing?
¿Qué estoy haciendo yo?

You are eating.
Tú estás comiendo.

What is he doing?
¿Qué está haciendo él?

He is drinking.
Él está bebiendo.

What is she doing?
¿Qué está haciendo ella?

She is reading.
Ella está leyendo.

What are you doing?
¿Qué están haciendo ustedes?

We are thinking.
Nosotros estamos pensando.

What are we doing?
¿Qué estamos haciendo?

You are playing.
Ustedes están jugando.

What are they doing?
¿Qué están haciendo ellos?

They are sleeping.
Ellos están durmiendo.

Apuntes

Diferencias entre "When?" y "What time?"

Cuando decimos **What time?** (¿A qué hora?), preguntamos por una hora específica, como por ejemplo **at 3:30** (a las tres y media). La pregunta **When?** (¿Cuándo?) es mucho más general. Podemos contestarla usando otros periodos de tiempo tales como:

At 3:30.	*A las tres y media.*
On Monday.	*El lunes.*
In the afternoon.	*Por la tarde.*

En esta lección, aprendió verbos que describen acciones que están ocurriendo ahora y que contestan a la pregunta **What are you doing?**

Se llaman verbos de acción.

What are you doing?	I'm reading.
¿Qué estás haciendo?	*Yo estoy leyendo.*
What is he doing?	He's watching TV.
¿Qué está haciendo él?	*Él está viendo la televisión.*

En oraciones que describen una acción que está ocurriendo ahora, se usa la forma correcta del verbo **to be** y un verbo que termina en **ing**.

I am running.	*Yo estoy corriendo.*
He is reading.	*Él está leyendo.*
She is writing.	*Ella está escribiendo.*
They are listening.	*Ellos están escuchando.*

Estas reglas sencillas le ayudarán a formar los verbos de acción:

1) Si el verbo acaba en **e**, se quita la **e** y se añade **ing**.

write	*escribir*
writing	*escribiendo*

2) Si el verbo acaba en vocal+consonante, hay que añadir la misma consonante y añadir **ing**.

sit	*sentarse*
sitting	*sentándose*

3) Si el verbo acaba en vocal+vocal+ consonante, se añade **ing**.

read	*leer*
reading	*leyendo*

4) Si el verbo acaba en consonante+consonante, se añade **ing**

work	*trabajar*
working	*trabajando*

"What do you usually do?" y "What's happening?"

Algunas oraciones describen actividades diarias y usan expresiones tales como **usually** y **every morning**. En este tipo de oraciones, se usa la forma simple del verbo.

> I play soccer every day.
> *Yo juego al fútbol todos los días.*

Pero cuando se habla de lo que está ocurriendo en este momento, hay que usar un verbo de acción.

> I'm playing soccer.
> *Yo estoy jugando al fútbol.*

Comidas

Aunque los nombres de las comidas varían de región en región, hay palabras que se usan en todas partes.

breakfast	*desayuno*
lunch	*comida o almuerzo*
dinner	*cena*

3 Diálogo

Éste es el texto completo del diálogo incluido en el video. Usted hará el papel del espectador (viewer). Si le hacen una pregunta personal, conteste usando información personal. Tenga en cuenta que las respuestas del espectador que le proporcionamos no son las únicas respuestas correctas.

Nos vemos en el parque

Robert	Hello. *Hola.*
Kathy	Hello, Robert. This is Kathy. *Hola, Robert. Soy Kathy.*
Robert	What time is it? *¿Qué hora es?*
Kathy	It's about 8:15. What is he doing? *Son aproximadamente las ocho y cuarto.* *¿Qué está haciendo él?*
<u>Viewer</u>	<u>He's sitting down.</u> *Él está sentándose.*
Robert	You're right. It's 8:15! *Tienes razón. ¡Son las ocho y cuarto!*
Kathy	Do you want to play soccer? *¿Quieres jugar al fútbol?*
Robert	No, I'm tired. *No, estoy cansado.*

44

Kathy	What's your mother doing? *¿Qué está haciendo tu madre?*
Robert	She's working. *Está trabajando.*
Kathy	Does she usually work on Saturday? *¿Acostumbra a trabajar los sábados?*
Robert	No, she usually sleeps in late. Like me! *No, ella acostumbra a dormir* *hasta tarde. ¡Cómo yo!*
Kathy	Come on! Let's play soccer. *¡Vamos! Juguemos al fútbol.*
Robert	OK. I'll meet you at the park at 10:30. *De acuerdo. Te veré en el parque a las diez y media.*
Kathy	Great. See you there. What time? *Fantástico. Te veo allí. ¿A qué hora?*
Viewer	At 10:30. *A las diez y media.*
Kathy	Where? *¿Dónde?*
Viewer	At the park. *En el parque.*
Kathy	Thanks! *¡Gracias!*

4 Notas

Lección 4

4 Notas

Le recomendamos que lea las palabras de vocabulario antes de ver el video correspondiente a esta lección. Éstas son las palabras más importantes de esta lección.

(to) happen	*ocurrir*
action	*acción*
now	*ahora*
if	*si*

E l e m e n t o s   e s e n c i a l e s

Esta sección destaca los elementos básicos de esta lección. Lea detenidamente lo que incluimos en ella.

Are you watching TV?
¿Estás viendo la televisión?

Do you like watching TV?
¿Te gusta ver la televisión?

Aprenda y practique

Am I talking?	*¿Estoy hablando?*
Yes, you are.	*Sí.*
No, you're not.	*No.*
Are you listening?	*¿Estás escuchando?*
Yes, I am.	*Sí.*
No, I'm not.	*No.*
Is he sleeping?	*¿Está durmiendo?*
Yes, he is.	*Sí.*
No, he isn't.	*No.*
Is she reading?	*¿Está leyendo?*
Yes, she is.	*Sí.*
No, she isn't.	*No.*
Are we walking?	*¿Estamos caminando?*
Yes, you are.	*Sí.*
No, you aren't.	*No.*
Are they thinking?	*¿Están pensando?*
Yes, they are.	*Sí.*
No, they're not.	*No.*
Do I like running?	*¿Me gusta correr?*
Yes, you do.	*Sí.*
No, you don't.	*No.*

Do you like cooking?	*¿Te gusta cocinar?*
Yes, I do.	*Sí.*
No, I don't.	*No.*
Does he like watching TV?	*¿Le gusta ver la televisión?*
Yes, he does.	*Sí.*
No, he doesn't.	*No.*
Does she like working?	*¿Le gusta trabajar?*
Yes, she does.	*Sí.*
No, she doesn't.	*No.*
Do we like sleeping?	*¿Nos gusta dormir?*
Yes, you do.	*Sí.*
No, you don't.	*No.*
Do they like shopping?	*¿Les gusta ir de compras?*
Yes, they do.	*Sí.*
No, they don't.	*No.*

....

Para compartir con los niños

Why did the roofer go to the doctor?
He had the shingles.

¿Por qué fue el techador al médico?
Tenía tejas.

shingles = tejas, pero también significa una especie de herpes corporal

A p u n t e s

Otros verbos de acción

Hay verbos a los que **no** se añade **ing** para describir una acción que está ocurriendo ahora.

(to) want	*querer*
(to) need	*necesitar*
(to) like	*gustar*
(to) love	*amar, encantar, gustar mucho*
(to) hate	*odiar*
(to) hear	*oír*
(to) see	*ver*
(to) smell	*oler*
(to) taste	*probar, saber*
(to) know	*saber, conocer*
(to) believe	*creer*
(to) think	*pensar, creer*
(to) understand	*entender, comprender*

Si usamos un verbo de la lista anterior, la forma simple sirve para indicar una acción que está ocurriendo ahora.

He wants to read.	*Él quiere leer.*
She loves flowers.	*A ella le encantan las flores.*
We think she has red hair.	*Creemos que ella es pelirroja.*
They don't know the answer.	*Ellos no saben la respuesta.*
Do you see the tall man?	*¿Ves al hombre alto?*
Does he understand?	*¿Entiende (él)?*

Conversaciones telefónicas

Hablar por teléfono puede resultar difícil. La gente suele hablar rápido. No se puede ver la cara de la otra persona.

Las llamadas pueden clasificarse en dos categorías principales: las llamadas personales y las llamadas relacionadas con el trabajo o los negocios.

En casa, se contesta al telefóno diciendo: **Hello**. A veces, la persona que contesta puede usar el apellido de la persona o personas que viven en la casa: **Duncan residence**. La persona que ha hecho la llamada debe decir su nombre antes de empezar la conversación.

> - Hello.
>   *Hola.*
> - Hello. This is Angie.
>   *Hola. Soy Angie.*
>
> _____
>
> - White residence.
>   *Residencia de los Sres. White.*
> - Hello. This is Angie. May I speak to Greg?
>   *Hola. Soy Angie. ¿Puedo hablar con Greg?*
>
> _____
>
> - Hello.
>   *Hola.*
> - Hi, Greg. This is Angie.
>   *Hola, Greg. Soy Angie.*

En una oficina, se contesta al teléfono diciendo el nombre de la persona y/o de la compañía.

- Wallace Manufacturing. This is Ann Johnson.
  Wallace Manufacturing. Soy Ann Johnson.
- This is Tim Jones.
  Soy Tim Jones.

- This is Ann Johnson.
  Soy Ann Johnson.
- This is Tim Jones. Is Mr. Wallace in?
  Soy Tim Jones. ¿Está el Sr. Wallace?

Puede que la persona con la que se quiere hablar no esté en casa. En este caso, se mantiene este tipo de conversación :

- Hello. This is Tim. Is Andy there?
  Hola. Soy Tim. ¿Está Andy?
- No, he's not home. Can I take a message?
  No, no está en casa. ¿Quieres dejar un mensaje?
- Yes, thank you.
  Sí, gracias.

- Hello.
  Hola.
- Hi, Sam. This is Tom. Is Cindy home?
  Hola, Sam. Soy Tom. ¿Está Cindy en casa?
- No, she's at school.
  No. Está en la escuela.
- Can I leave a message?
  ¿Puedo dejarle un mensaje?
- Sure.
  Claro.

Cuando tenga que interrumpir la conversación, use expresiones tales como:

Hold on, please.   Can you hold on?
Espere un momento, por favor.   *¿Puede esperar un momento?*

Conteste a esta pregunta diciendo **yes** or **OK**.

Para despedirse cortésmente, se usa a menudo la frase:

It was nice talking to you.
Fue un placer hablar con usted.

....

Si su chico le pregunta...

What is cowhide for?
To hide a cow.

¿Para qué sirve el cuero de vaca?
Para esconder una vaca.

Hide = cuero y cowhide = cuero de vaca, pero hide también significa esconder

4 Diálogo

Éste es el texto completo del diálogo incluido en el video. Usted hará el papel del espectador (viewer). Si le hacen una pregunta personal, conteste usando información personal. Tenga en cuenta que las respuestas del espectador que le proporcionamos no son las únicas respuestas correctas.

Cindy no está en casa

Bill	Hello. Gordon residence. *Hola. Residencia Gordon.*
Kathy	Hello. This is Kathy. *Hola. Soy Kathy.*
Bill	Hello, Kathy. This is Cindy's father, Mr. Gordon. *Hola, Kathy. Soy el padre de Cindy, el Sr. Gordon.*
Kathy	How are you, Mr. Gordon? *¿Cómo está usted, Sr. Gordon?*
Bill	I'm fine, thank you. And you? *Bien, gracias. ¿Y tú?*
Kathy	I'm fine, too. Is Cindy home? *Bien, también. ¿Está Cindy en casa?*
Bill	No, she isn't. *No.*
Kathy	Is she studying at the library? *¿Está estudiando en la biblioteca?*

Bill	No... *No...*	
Kathy	What's she doing? *¿Qué está haciendo?*	
Bill	She's shopping with her mother. *Se ha ido de compras con su madre.*	
Kathy	What is she doing? *¿Qué está haciendo?*	

Viewer   <u>She's shopping with her mother.</u>
Se ha ido de compras con su madre.

Kathy   Oh, how nice. What time is she coming home?
Oh, qué bien. ¿A qué hora volverá a casa?

Bill   I don't know. Maybe six o'clock.
No lo sé. Quizá regrese a las seis.

Kathy   What time is she coming home?
¿A qué hora volverá a casa?

Viewer   <u>About six o'clock.</u>
A eso de las seis.

Kathy   OK. I'll call later. Thank you.
De acuerdo. Llamaré más tarde. Gracias.

Bill   You're welcome. Goodbye.
De nada. Adiós.

Kathy   Goodbye.
Adiós.

57

V Notas

Aprendamos Viajando

Texas is big. With broad skies and wide plains. Texas has everything: deserts, mountains, beaches, big cities and small towns.

The Texas border with Mexico is 750 miles long. The Gulf Coast is 350 miles long. And, it borders four other states, New Mexico, Oklahoma, Arkansas and Louisiana. More than 20 million people call Texas home.

A city of 600,000 people, El Paso is a thriving border city. Every day in El Paso there are scenes of people crossing the border to shop or sell items on the street.

The average temperature in El Paso in July is mid-90s. El Paso is one of the dryest cities in Texas.

Dallas is the complete opposite of El Paso. With over one million people, Dallas is a sophisticated East Texas city. In Dallas, there is no desert. Everything is green.

Dallas is famous for its food, shopping, dancing and country clubs. It is infamous for the assassination of President John F. Kennedy. President Kennedy was killed on November 22, 1963 by a gun fired from the Texas Schoolbook Depository.

Tejas es grande. Con cielos amplios y llanuras anchas. Tejas lo tiene todo: desiertos, montañas, playas, grandes y pequeñas ciudades.

Su frontera con México tiene setecientas cincuenta millas de longitud. La costa del golfo tiene trescientas cincuenta millas de longitud. Y los cuatro estados fronterizos son Nuevo México, Oklahoma, Arkansas y Luisiana. Más de veinte millones de personas viven en el estado de Tejas.

El Paso es una ciudad fronteriza en plena expansión, que cuenta con una población de seiscientos mil habitantes. En El Paso, se ve a gente cruzando la frontera todos los días para comprar o vender mercancía en la calle.

En el mes de julio, la temperatura media de El Paso ronda los 95 grados. El clima de El Paso es uno de los más secos de Tejas.

Dallas y El Paso son ciudades totalmente opuestas. Dallas es una ciudad sofisticada del este de Tejas de más de un millón de habitantes. No hay desierto en Dallas. Aquí predomina lo verde.

Dallas es una ciudad famosa por su gastronomía, sus tiendas, discotecas y clubes de campo. Es tristemente famosa por el asesinato del presidente John. F. Kennedy. El presidente murió el 22 de noviembre de 1963 al dispararse un arma desde el depósito de libros escolares de Tejas (Texas Schoolbook Depository).

Even though Dallas is one of the largest cities in Texas, the capital is Austin, a small city of a half-million people on the Colorado River. The pace in Austin is slow, and people are friendly. Bicycle lanes run throughout the city and there are many parks.

In 1838, Austin was named the capital of Texas. In 1879, Texas decided to build a new state capital. The result was this beautiful pink granite building—the largest state capital in the United States. It is almost as big as the US Capitol, and is, in fact three feet taller. The doors are Texas-sized, too—about nine feet tall.

This is San Antonio. The city lies on both sides of the San Antonio River. Activity along the River Walk goes on night and day, every day. San Antonio has a unique character—a mix of American and Mexican culture and language. Life and business in San Antonio are conducted in English and Spanish.

The most famous site in San Antonio is the Alamo. About three million visitors tour the Alamo every year. In fact, the Alamo is the most visited site in Texas.

Aun cuando Dallas es una de las ciudades más grandes de Tejas, la capital del estado es Austin, una pequeña ciudad de medio millón de personas situada a orillas del río Colorado. El ritmo de Austin es lento y la gente es amable. Hay vías de circulación para ciclistas por toda la ciudad y hay muchos parques.

Austin fue nombrada capital del estado en 1838. En 1879, Tejas decidió edificar la sede del gobierno estatal. El resultado es este hermoso edificio de granito rosa, la sede de gobierno más grande de los Estados Unidos. Es casi tan grande como el Capitolio y tiene tres pies más de altura. Las puertas son también de gran tamaño, una característica tejana, y tienen aproximadamente nueve pies de altura.

Esto es San Antonio. La ciudad está situada a ambos lados del río San Antonio. El River Walk rebosa de actividad a todas horas, todos los días. San Antonio es una ciudad especial en la que se mezclan la cultura americana y la cultura mexicana, el inglés y el español. La vida y los negocios en San Antonio se llevan a cabo en inglés y en español.

El lugar más famoso de San Antonio es El Alamo. Unos tres millones de personas visitan El Alamo cada año. De hecho, El Alamo es el lugar turístico más frecuentado de Tejas.

The missions in the San Antonio area are famous and quite beautiful. This is the Mission San Francisco de la Espada. Much of the courtyard is the original mission that was built in the 1700s.

Some people say that Mission San José is the prettiest of the old missions. And here is sunset at Mission Concepcion.

Let's conclude the visit to Texas in Houston, the largest city in Texas, with 1,600,000 residents, and the 4th largest city in the United States. Houston, like Dallas, is in the lush, green eastern part of the state. Unlike Dallas, Houston is near water, Galveston Bay and the Gulf of Mexico. The oil boom that made Texas rich started near here and accounts for much of the growth.

Through the oil boom of the 1970s and 80s, a thousand people moved to Houston every week. Many of these people stayed even after the oil bust. Today the economy in Houston is strong. Business and weather dominate life in this big city. The humidity is always high averaging above 80 percent and there is an average of 47 inches of rain per year!

The Space Center Houston is the home of NASA—the National Aeronatics and Space Administration. Mission Control, where all the space launches are controlled, is in the Space Center.

Texas is a state with many different faces and places. The variety of people and landscapes make Texas a fascinating place to visit.

Las misiones de San Antonio y sus alrededores son famosas y hermosas. Ésta es la misión de San Francisco de la Espada. El patio conserva el estilo original del siglo dieciocho.

Dicen que la misión de San José es la más bonita. Y éste es el atardecer en la misión Concepción.

Vamos a finalizar nuestra visita a Tejas en la ciudad de Houston, la ciudad más grande de Tejas; cuenta con una población de un millón seiscientos mil habitantes y es la cuarta ciudad más poblada de los Estados Unidos. Houston, al igual que Dallas, está situada en la zona verde y rica del este del estado. A diferencia de Dallas, Houston está cerca de la costa, de la bahía de Galveston y del golfo de México. El auge del sector del petróleo que enriqueció a Tejas comenzó cerca de aquí y es en gran parte responsable del crecimiento económico de la ciudad.

En las décadas de los setenta y ochenta, es decir en la época del auge del sector del petróleo, mil personas se instalaban en Houston cada semana. La mayoría de estas personas se quedaron en Houston incluso después de la crisis del petróleo. Hoy en día, la economía de Houston es sólida. Los negocios y el clima predominan en esta gran ciudad. El índice de humedad medio siempre es elevado, por encima del ochenta por ciento, ¡y llueve un promedio de cuarenta y siete pulgadas al año!

El Centro Espacial de Houston es el hogar de la NASA (Administración del Espacio y de la Aeronáutica Nacional). Mission Control, el lugar desde donde se controlan los lanzamientos espaciales, está situado en el Centro Espacial.

Tejas es un estado con muchas caras y lugares diferentes. La diversidad de su gente y la variedad de sus paisajes hacen de Tejas un lugar fascinante que merece la pena visitar.

Notas

Aprendamos Cantando

C Notas

Música y Letra
Burt Bacharach
Hal David

Raindrops Keep Falling On My Head

Hoy tendrá la oportunidad de cantar la canción **Raindrops Keep Fallin' On My Head** (Gotas de lluvia siguen cayendo sobre mi cabeza). Esta canción procede de la banda sonora de la película **Butch Cassidy and the Sundance Kid**, un clásico de Hollywood protagonizado por Robert Redford y Paul Newman.

Raindrops Keep Falling on My Head pertenece al género de música llamado **Easy Listening** o música "fácil de escuchar". Sus compositores, Bacharach y David, son unos de los más famosos de la música pop norteamericana. Sus temas han sido interpretados por cantantes tan famosos como Dionne Warwick y los Carpenters.

Aquí, usted podrá observar y escuchar cómo se acortan palabras al hablar. Con frecuencia, se omite la pronunciación de la "g" final de los verbos. Veamos los ejemplos que aparecen en esta canción.

La música y letra de las canciones se encuentran en los videos. Localice en su video la sección titulada "Aprendamos Cantando".

- **nothin'** en vez de **nothing** (nada)
- **fallin'** en vez de **falling** (cayendo)
- **sleepin'** en vez de **sleeping** (durmiendo)
- **worryin'** en vez de **worrying** (preocupándose)
- **talkin'** en vez de **talking** (hablando)
- **complainin'** en vez de **complaining** (quejándose)
- **cryin'** en vez de **crying** (llorando)

Fíjese en la diferencia de pronunciación mientras escucha la canción. **Nothin's worryin' me** es la forma abreviada de **nothing is worrying me** (nada me preocupa) que se utiliza al decir esta frase en voz alta.

De igual modo, **cryin's not for me** es la forma abreviada de **crying is not for me** (llorar no es lo mío).

Mientras escucha la canción, fíjese en las siguientes contracciones.

There's one thing en vez de **there is one thing** (hay una cosa).

Won't en vez de **will not** (no).

¡Ojo! Al escribir o leer esta contracción, no la confunda con la palabra **wont** (propenso).

I didn't like en vez de **I did not like** (no me gustaba).

That doesn't mean en vez de **that does not mean** (eso no significa).

'Cause en vez de **because** (porque).

I'm never gonna stop en vez de **I am never going to stop** (nunca voy a parar).

También queremos enseñarle un modismo que se utiliza con mucha frecuencia: la palabra **keeping**, que denota continuidad.

Por ejemplo, se puede decir **keep falling** (siguen cayendo), **keep drinking** (siguen bebiendo) o **keep laughing** (siguen riendo).

La expresión **the blues** le resultará familiar. **Blue** significa melancolía. **The blues** significa depresión o melancolía.

Recuerde...

Esta palabra también se utiliza para describir un tipo de música americana que se caracteriza por su ritmo lento y sus letras tristes o melancólicas.

Did me some talkin' to the sun es una expresión informal que significa "hablé con el sol". De igual forma, **did me some running** (corrí un rato), o **did me some thinking** (lo pensé un rato). Esta expresión es incorrecta, pero se usa frecuentemente en ciertas regiones de los EE.UU.

Bueno, ¿está listo para cantar **Raindrops Keep Falling On My Head**?

· ·

Y si su chico le pregunta...

What has one horn and gives milk?
A milk delivery truck.

¿Qué tiene un cuerno y da leche?
Un camión repartidor de leche.

horn = cuerno, pero también significa claxón o bocina.

Gotas de lluvia siguen cayendo sobre mi cabeza

Gotas de lluvia siguen cayendo
sobre mi cabeza
Y como el tipo
Cuyos pies son demasiado
Grandes para su cama
Nada parece quedar bien
Esas
Gotas de lluvia caen sobre mi cabeza
Siguen cayendo

Así que
Le hablé al sol
Y le dije que no me gustaba como
Hacía las cosas
Durmiendo en el trabajo
Esas
Gotas de lluvia caen sobre mi cabeza
Siguen cayendo

Pero hay una cosa que sé
La melancolía que me mandan
No me derrotará
Pronto la felicidad
Vendrá a saludarme

Raindrops Keep Falling On My Head

Raindrops keep fallin'
on my head
And just like the guy
Whose feet are
too big for his bed
Nothin' seems to fit
Those
Raindrops are fallin' on my head
They keep fallin'

So I just
Did me some talkin' to the sun
And I said I didn't like the way
He got things done
Sleepin' on the job
Those
Raindrops are fallin' on my head
They keep fallin'

But there's one thing I know
The blues they send to meet me
Won't defeat me
It won't be long till happiness
Steps up to greet me

Gotas de lluvia siguen cayendo
sobre mi cabeza
Pero eso no significa que mis ojos
Pronto enrojecerán
Llorar no es lo mío
Porque nunca pararé
La lluvia quejándome
Porque soy libre
Nada me preocupa

Gotas de lluvia siguen cayendo
sobre mi cabeza
Pero eso no significa que mis ojos
Pronto enrojecerán
Llorar no es lo mío
Porque nunca pararé
la lluvia quejándome
Porque soy libre
Nada me preocupa

Raindrops keep fallin'
on my head
But that doesn't mean my eyes
Will soon be turnin' red
Cryin's not for me
'Cause I'm never gonna stop
The rain by complainin'
Because I'm free
Nothin's worryin' me

Raindrops keep fallin'
on my head
But that doesn't mean my eyes
Will soon be turnin' red
Cryin's not for me
'Cause I'm never gonna stop
The rain by complainin'
Because I'm free
Nothin's worryin' me

Notas

Curso
de Audio

Curso de Audio

Unidad 5: Desayunando fuera de la lluvia

A Excuse me, is anyone sitting here?
¿Disculpe, hay alguien sentado aquí?

B Pardon me?
¿Perdón?

A Is anyone sitting here? Is this seat taken?
¿Hay alguien sentado aquí? ¿Está ocupado este asiento?

B No, no, it's not. There's no one sitting here.
It's a pretty busy morning, isn't it? It must be the rain.
No, no lo está. No hay nadie sentado aquí.
¿Hay bastante gente esta mañana, no? Debe ser la lluvia.

A Yes, maybe that's it.
Waiter, may I see the menu, please?
Sí, quizá sea eso.
Mesero, ¿puedo ver el menú, por favor?

B Sure, here you are. Can I get you some coffee?
Claro, aquí tiene. ¿Le traigo un café?

A Thank you. I'll take a blueberry muffin and orange juice as well.
Gracias. Quiero un bizcocho de arándanos y también jugo de naranja.

Variantes y combinaciones

It's pretty busy this morning.
Hay bastante gente esta mañana.

a blueberry muffin and an orange juice
un bizcocho de arándanos y un jugo de naranja

Unidad 6: Comprando camisas

A   Is there anything I can help you with, sir?
¿Le puedo ayudar en algo, señor?

B   Yes. I'm looking for short-sleeved cotton shirts.
Sí, estoy buscando camisas de algodón de manga corta.

A   If you'd care to come over here, sir, we have a large selection in cotton.
Si es tan amable de venir aquí, señor, tenemos una gran selección en algodón.

B   Thank you. What have you available in neck size 15, in blue or white?
Gracias. ¿Qué tiene en la talla 15, en azul o blanco?

A   Plain or patterned?
¿Lisa o con diseño?

B   Plain, I think. No pockets. And an ordinary collar, not button-down. Something simple.
Creo que lisa. Sin bolsillo. Y con un cuello sencillo, sin botones. Algo simple.

A   May I suggest this, sir? The cut is simple, yet elegant. We have it in your size and in the colors you want. Would you care to try it on?
¿Puedo sugerirle ésta, señor? El corte es simple, pero elegante. La tenemos en su talla y en los colores que quiere. ¿Le gustaría probársela?

B   Yes, thank you.
Sí, gracias.

Variantes y combinaciones

Neck size 39 (metric), in blue or white, plain, no pockets.
El cuello en talla 39 (métrico), azul o blanco, simple, sin bolsillos.

What color do you want?
¿Qué color quiere?

Blue or white?
¿Azul o blanco?

What neck size do you need?
¿Cuál es la talla de cuello que necesita?

neck size 15
la talla de cuello es 15

What kind do you want?
¿Qué tipo de camisa le gustaría?

Notas

Notas

Notas